WOLFGANG AMADEUS MOZART

PIANO CONCERTO

A major/A-Dur/La majeur
K 488

Edited by/Herausgegeben von
Friedrich Blume

D0503896

Ernst Eulenburg Ltd

London · Mainz · Madrid · New York · Paris · Prague · Tokyo · Toronto · Zürich

W. A. MOZART

Piano Concerto A major (K.-V. No. 488)

During his work on "Figaro," Mozart wrote three piano concertos: the present one in A major (completed on the 2nd March, 1786) and those in E♭ major (K. 482) and C minor (491). They constitute, as does "The Marriage of Figaro" among the operas, a turning point in Mozart's instrumental work. With the D minor concerto (466) Mozart had closely adapted the piano concerto to the tendencies prevailing in symphony and string quartet. With the utmost consequence a multitude of continuations and developments, filling and forming the entire work, originated there from a uniform nucleus. It was the climax of a development which was still pursued in the C major concerto (467), but had already been turned into a new direction. The concentration of the individual movement on the logic of form, and of the entire work on symphonic and thematic unity, still prevails. One year later the C minor concerto (491) undertakes a farreaching advance into the world of sound and sentiment of the romantic age; it opens up prospects which only a later generation should investigate.[1]

Between these poles stand the two concertos in E♭ major (482) and A major (488) with their decisive attempt to return to the "veritable" world of the concerto, the art of fascinating, spirited entertain-

ment. But the gap which had been torn open by the preceding works (466, 470) could be covered up no more. For Mozart the concerto has become a vehicle for the expression of deep and unique personal experiences. He cannot simply return to the *causerie* of the *salon*. It has become poetry. And thus these two concertos in E♭ major and A major, may be so highly esteemed by the romantic age for this very reason, stand very noticeably between the spheres: seemingly quite occupied with the fascinating play of whims and imagination, actually only spreading screening veils over the constantly sensed unfathomable, abysmal depths of life.

In the D minor concerto (466) a powerful dramatic concentration had been achieved, which in the C minor concerto (491) once again rouses similar traits and which was to find its vocal counterpart in "Figaro". The concertos in E♭ major and A major (482, 488) anticipate the other side of "Figaro": the jovial play of whims and spirit whose reality, with almost romantic irony, constantly threatens its very existence. Sound and fancy come to the fore to an extent that seems to dissolve the conclusive logic of form. In the A major concerto Mozart reached the summit of an entirely sovereign manner of composition. It seems that he only

[1] Cp. my introductions to the revised editions of the piano concertos in B♭ major, D minor, C major, C minor, and D major (K. 450, 466, 467, 491, 537; Eulenburg's Score Edition Nos. 743, 721, 739, 740, 719); also my study „*Die formgeschichtliche Stellung der Klavierkonzerte Mozarts*" in the *Mozart-Jahrbuch*, Vol. II, 1924.

plays with the form. The glistening play of tonal colour effects has itself become the foremost problem, and behind it is hidden that process of gradual dissolution of valid "realities," of traditional norms and the established scope of expression, which fills all of Mozart's late work. The connoisseur of "Figaro" knows that all these workings also found their expression in that opus. The concertos have a close connection to content and form of the opera. Tonal scope and thematic fancy do not remain constant, they change colour and expression with each appearance and transform the rigid contours of well-ordered conditions into the active world of manifold shadings and everchanging developments, in fact, into a colourful reflection of life itself.

The lightness with which Mozart treats the form in the A major concerto is practically unparallelled even in his own work. In the first movement a continuous development is assured — without the aid of Haydn's development technique — by taking recourse to a long discarded technique: the 2nd theme is first of all included, without tonal differentiation, in the opening *ritornello;* later on (b. 99 seq.) it receives tonal differentiation and leads through episodes rich in figurations and modulations to a third theme (143 seq.), which, in pursuance of those rich episodes, immediately widens into a development-like middle part. From here, smoothly and in delicately shaded transitions, the return into the *reprise* takes its course. The mutual penetration of concerto and symphony, which Mozart had long accomplished at the time, has here outgrown every scheme and has produced a structure of singular freedom of form. Mozart's cadenza - for once entered into the autograph score — an elegant and delicate reminiscence of the entire movement, is thoroughly adapted to it. In contrast to the highly differentiated structure of the first movement, rich in episodes and nuances, Mozart employs polished dialectic in the third. Wit and *esprit* predominate; a glitter of innumerable little ideas, sidelights, and tonal stimuli. The ideas are grouped in sharply outlined contrasts. In the witty *causerie* of the coda theme, with its canonic duplication (b. 176 seq., 421 seq., 480 seq.), the ingenious, sparkling play finds its culmination, also in an ironic respect. In between, the middle part of the *Rondo* reverts to the atmosphere of the second movement. The *adagio* movement itself (not *andante,* as stated in the older editions), with its elegiac restraint and dreamy haziness, constitutes a powerful contrast to the corner movements, and in spite of the latter it mysteriously concentrates in itself the content of the entire composition and captivates ear and heart of the listener through its extraordinary conciseness, the amazing sound-quality of the wind instruments, its painful passion, and its incorporeal unreality.

The revision was carried out according to the same principles as that of the above mentioned concertos (Cp. the footnote on the preceding page). The autograph, formerly in the ownership of Charles Malherbe, is to-day the property of the *Bibliothèque du Conservatoire Nationale de Musique* in Paris (Manuscript No. 226). I am indebted to the Management of the Library for the production of a photostat.

W. A. MOZART:

KLAVIERKONZERT A-DUR (K.-V. No. 488)

Während seiner Arbeit am „Figaro" hat Mozart drei Klavierkonzerte geschrieben: das hier vorliegende in A-Dur (beendet am 2. März 1786) und diejenigen in Es-Dur (K.-V. 482) und C-Moll (491). Sie bezeichnen, wie „Figaros Hochzeit" unter den Opern, einen Wendepunkt in Mozarts Instrumentalschaffen. Mit dem Konzert D-Moll (466) hatte Mozart das Klavierkonzert aufs engste den in Symphonie und Streichquartett waltenden Tendenzen angenähert. In äußerster Folgerichtigkeit war dort aus einem einheitlichen Keim heraus eine Fülle von Weiterbildungen und Entwicklungen entstanden, die das ganze Werk erfüllten und formten. Es war die Spitze eines Entwicklungsweges, der mit dem Konzert C-Dur (467) zwar noch verfolgt, doch schon in eine neue Richtung umgebogen wird. Die Konzentration des Einzelsatzes auf die Logik der Form und des ganzen Werkes auf symphonische und thematische Einheit waltet auch dort noch vor. Ein Jahr später unternimmt das Konzert C-Moll (491) einen weitreichenden Vorstoß in die Klang- und Gefühlswelt der Romantik. Es eröffnet Ausblicke, denen erst eine spätere Generation nachgehen sollte [1]). Zwischen diesen Polen stehen die beiden Konzerte in Es-Dur (482) und

A-Dur (488) mit ihrem entschiedenen Versuch, sich wieder stärker der „eigentlichen" Welt des Konzertes, einer feinen und geistreichen Unterhaltungskunst, zuzuwenden. Aber die Kluft, die durch die vorausgegangenen Werke (466, 467) aufgerissen worden war, ist nicht mehr zu verwischen. Das Konzert ist für Mozart ein Mittel zur Aussprache tiefer und einmaliger persönlicher Erlebnisse geworden. Es kann nicht einfach zur Causerie des Salons zurückkehren. Es ist Dichtung geworden. Und so stehen diese beiden, vielleicht eben deswegen von der Romantik so überaus hoch geschätzten Konzerte in Es-Dur und A-Dur recht fühlbar zwischen den Sphären: scheinbar mit dem reizvollen Spiel von Phantasie und Laune vollauf beschäftigt, in Wirklichkeit doch nur verhüllende Schleier über eine fortwährend gefühlte Unergründlichkeit und Abgründigkeit des Lebens breitend.

Im Konzert D-Moll (466) war es zu einer gewaltigen dramatischen Konzentration gekommen, die im Konzert C-Moll (491) noch einmal verwandte Züge wecken und im „Figaro" selbst ihr vokales Seitenstück finden sollte. Die Konzerte Es-Dur und A-Dur (482, 488) nehmen die andere Seite des „Figaro" vorweg: das heitere Spiel von Geist und

---

[1]) Vgl. meine Einführungen zu den revidierten Ausgaben der Klavierkonzerte in B-Dur, D-Moll, C-Dur, C-Moll und D-Dur (K.-V. 450, 466, 467, 491, 537; Eulenburgs Partiturausgabe Nr. 743, 721, 739, 740, 719) ; ferner meine Studie über „Die formgeschichtliche Stellung der Klavierkonzerte Mozarts" im Mozart-Jahrbuch II, 1924.

VI

Laune, dessen Wirklichkeit sich fortwährend selbst mit fast romantischer Ironie in Frage stellt. Klangwert und Einfall treten hier in einem Maße in den Vordergrund, das die schlüssige Logik der Form aufzulösen scheint. Im Konzert A-Dur hat Mozart den Gipfel einer völlig souveränen Gestaltungsweise erreicht. Er scheint mit der Form nur noch zu spielen. Der glitzernde Zauber klanglicher Farbwirkungen selbst ist zum vordergründigen Problem der Formgebung geworden, und hinter ihm verbirgt sich jener Prozeß einer allmählichen Auflösung gültiger „Wirklichkeiten", überkommener Normen und feststehender Ausdrucksbereiche, der das ganze späte Schaffen Mozarts erfüllt. Der Kenner des „Figaro" weiß, daß alle diese Dinge dort ebenfalls ihren Niederschlag gefunden haben. Die Konzerte stehen in engem Zusammenhang mit Gehalt und Formensprache der Oper. Klangbereich und thematischer Einfall bleiben nicht konstant, wechseln Farbe und Ausdruck mit jedem Auftreten und verwandeln die festen Konturen geordneter affekthafter Zuständlichkeiten in die erlebnishafte Welt übergangsreicher Schattierungen und wechselvoller Entwicklungen, werden zum „farbigen Abglanz" des Lebens selbst. Die Leichtigkeit, mit der Mozart im Konzert A-Dur die Form behandelt, hat selbst bei ihm kaum ihresgleichen. Im 1. Satz wird eine fortlaufende Entfaltung — ohne Zuhilfenahme Haydnscher Entwicklungstechnik — dadurch gewährleistet, daß Mozart, auf eine längst überholte Technik zurückgreifend, das

2. Thema, zunächst ohne tonale Abstufung, mit in das eröffnende Ritornell hineinnimmt, es erst später (Takt 99 ff.) tonal differenziert und über figurativ und modulatorisch reich bewegte Zwischenglieder zu einem dritten Thema (143 ff.) gelangt, das in Fortsetzung jener reichen Zwischenformen sich unmittelbar in einen durchführungsartigen Mittelteil weitet. Von hier aus vollzieht sich gleitend, in zart abgetönten Übergängen, die Rückleitung in die Reprise. Die bei Mozart damals längst vollzogene Durchdringung von Konzert und Symphonie ist hier über jedes Schema hinaus gewachsen und hat ein Gebilde von einzigartiger Freiheit der Form gezeitigt. Ihr paßt sich die — ausnahmsweise in die autographe Partitur mit eingetragene — Kadenz Mozarts, ein elegant und hauchzart hingezauberter Nachklang des gesamten Satzes, restlos ein. Gegenüber der übergangs- und nuancenreichen, unendlich feingestuften Struktur des 1. Satzes greift Mozart im dritten zu den Mitteln geschliffener Dialektik. Witz und Geist herrschen. Es funkelt von zahllosen kleinen Einfällen, Nebengedanken, Klangreizen. In scharf begrenzten Kontrasten gruppieren sich die Gedanken. In dem witzigen Plauderton des Codathemas mit seiner kanonischen Verdoppelung (T. 176 ff., 412 ff., 480 ff.) erfährt das geistreich prickelnde Spiel seine höchste Zuspitzung und gleichzeitig seine Ironisierung. Dazwischen greift der Mittelteil des Rondos auf die Sphäre des 2. Satzes zurück. Der Adagiosatz selbst (nicht Andante, wie die älteren Ausgaben schreiben) bildet

mit seiner elegischen Verhaltenheit und traumhaften Verschleierung einen kräftigen Kontrast zu den Ecksätzen, ja, trotz ihrer sammelt er geheimnisvoll den Gehalt des ganzen Werkes in sich und weiß durch seine außerordentliche Knappheit, seinen unerhörten Bläserklang, seine schmerzvolle Leidenschaftlichkeit und seine körperlose Unwirklichkeit Ohr und Herz des Hörers gefangenzunehmen.

Die Revision erfolgte nach den gleichen Grundsätzen wie bei den oben angegebenen Konzerten (vgl. die Anmerkung auf Seite I). Das Autograph, früher im Besitze von Charles Malherbe, Paris, ist heute Eigentum der Bibliothèque du Conservatoire National de Musique in Paris (Manuskript Nr. 226). Der Direktion der genannten Bibliothek bin ich für die Herstellung einer Photokopie zu Dank verpflichtet. In noch weit größerem Umfange als bei den übrigen Klavierkonzerten ergab im Falle des A-Dur-Konzertes die Revision sinnstörende Phrasierungen, unkorrekte und falsche dynamische Bezeichnungen, sogar ziemlich viele falsche Noten. Klaviervortrag und Orchesterausführung erhalten durch die Wiederherstellung der, wie immer, vollkommen eindeutigen Willensmeinung Mozarts ganz wesentlich anderes Gepräge, als man es nach den willkürlichen, unbesehen von Hand zu Hand weitergereichten Druckausgaben und Bearbeitungen des 19. Jahrhunderts gewohnt ist. Auf

die Tempoangaben des zweiten und dritten Satzes (Adagio bzw. Allegro assai statt Andante bzw. Presto) sei hingewiesen. Dynamische Bezeichnungen, die nicht in der Handschrift stehen, aber sinngemäß zu ergänzen sind, wurden in eckige Klammern gesetzt. Lange Vorschläge wurden ausgeschrieben (daher eine ungewohnte Lesart im 3. Satz, T. 265 und 273). Das äußerst flüssig geschriebene Autograph enthält kaum eine Undeutlichkeit und ganz wenige Schreibfehler. Ein paarmal hat Mozart sich in der Notierung der A-Klarinetten geirrt, hat diese Stellen aber — bezeichnend für seine fast pedantische Sorgfalt — auf einem nachgehefteten Blatte berichtigt. Im 1. und 2. Satz enthält das Autograph einige Streichungen, die zeigen, daß Mozart an den betreffenden Stellen ursprünglich an einen anderen Fortgang gedacht, ihn dann aber zugunsten der jetzigen Fassung aufgegeben hat.

Bemerkenswert ist, wie bei sämtlichen Klavierkonzerten Mozarts, auch für das vorliegende, die durchgängige Generalbaßfunktion des Klaviers. Sie konnte aus technischen Gründen in der Partitur selbst nicht sichtbar gemacht werden, sollte aber für die Praxis eindringlich beachtet werden. Sie gilt fortlaufend für das ganze Konzert. Ausgenommen sind regelmäßig alle Stellen, an denen die Streichbässe schweigen, außerdem einige Stellen, bei denen Mozart zu Passagen der rechten Hand in der linken ausdrücklich Pausen angegeben hat[1]). Man-

---

[1]) Wegen der Wichtigkeit der Frage seien hier diejenigen Stellen ausdrücklich genannt, an denen das Autograph durch Pausen im unteren Klaviersystem die Generalbaßfunktion aus-

cherlei Sinnentstellungen treten durch das Fehlen der Generalbaßnoten in der Klavierstimme ein. So ist z. B. im 2. Satz, Takt 51 und 68, die sonst unbegründete Vorschrift von Achtelnoten in der linken Hand einfach dadurch bedingt, daß in Wirklichkeit durch Takt 51—52 und 68 ff. im unteren System der Klavierstimme die Baßnoten weiterlaufen müßten, also:

Hieraus geht gleichzeitig hervor, daß z. B. in Takt 48—50 die Noten der linken Hand als generalbaßmäßig zu behandelnde, also akkordisch auszufüllende Grundnoten gemeint sind. Gleiches gilt im 2. Satz für die Takte 84 bis Schluß. Hier sind durchweg 1. die Baß-töne akkordisch zu füllen, 2. in Takt 92—94 die fehlenden Noten aus der Baßstimme zu ergänzen und 3. überdies in Takt 84—92 von der rechten Hand Figuren zu improvisieren. Hierzu gibt es (im Besitz der Preußischen Staatsbibliothek in Berlin) ein Manuskript von Alois Fuchs mit ausgeschriebenen Verzierungen. Ein Schulbeispiel einer solchen Sinnentstellung durch fehlende Generalbaßnoten bilden auch die Takte 260 bis 261 des dritten Satzes. Hier tritt mit dem Umschlag des Bläserzwischensatzes von Moll nach Dur (T. 260) der Streichbaß ein; gleichzeitig aber müßte auch, wie Mozart ganz ausdrücklich vorschreibt, das Klavier mit zwei ganztaktigen, füllenden Akkorden einfallen. Es versteht sich, daß hierdurch das Klangbild beträchtlich geändert wird.

schließt: 1. Satz, Takt 107—112, 134—135, 157, 161, 165, 179, 183, 196—197, 237—242, 268—271; 3. Satz, Takt 20—24, 28—32, 70—73, 193—201, 239—244, 255—259, 305—311, 320—323, 326—327, 360, 438—440, 461—464.

Friedrich Blume

CONCERTO

1.

W. A. Mozart
1756 - 1791
Köchel No. 488

Allegro.

Das Klavier als Generalbaß-Instrument mußte aus technischen Gründen weggelassen werden, siehe jedoch das Vorwort.

No. 736   E. E. 382 5   Ernst Eulenburg Ltd

3

E. E. 3825.

Klav.

Vl.

Vla.

Vlc. e
Cb.

80

E. E. 3825.

12

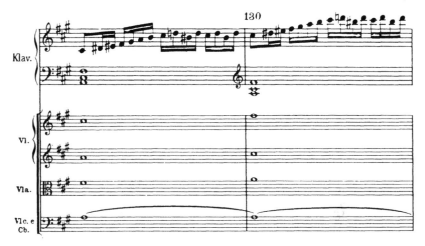

SOLO   150

E. E. 3825.

210

220

250

34

38

40

E. E. 3825.

42

II.

Adagio.

SOLO.

Klav.

Klav.

TUTTI.

III.

Das Klavier als Generalbaß-Instrument mußte aus technischen Gründen weggelassen werden, siehe jedoch das Vorwort.

E. E. 3825.

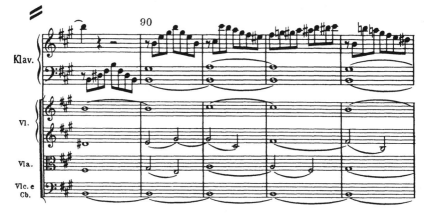

150

F. E. 3825.

280

E. E. 3825.

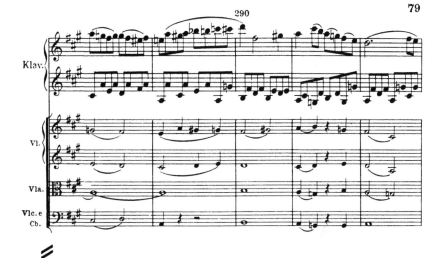

310

E. E. 2825.

400

E. E. 3825.

E. E. 3825.

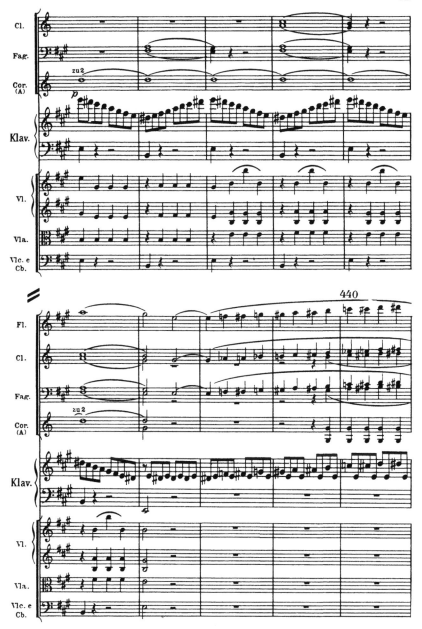

490